EJERCICIOS PARA GLÚTEOS, MUSLOS Y CADERAS

HERAKLES

Colección HERAKLES

Fitness & Condición Física

EJERCICIOS PARA GLÚTEOS, MUSLOS Y CADERAS

MÉTODO DE POTENCIACIÓN MUSCULAR RÁPIDO, EFICAZ Y
PERMANENTE PARA HOMBRES Y MUJERES.
ELIMINA LOS PROBLEMAS DE EXCESO DE GRASAS
Y CELULITIS.
INDISPENSABLE PARA DEPORTISTAS Y PERSONAS
SEDENTARIAS.

Mario Mangano

Contiene 61 ilustraciones esquemáticas

EDITORIAL HISPANO EUROPEA S. A.

Asesor Técnico: **Santos Berrocal**

Dedicado a mi esposa Anna

Título de la edición original: **Esercizi per glutei, cosce e fianchi**

© de la traducción: **Luis Montalbetti.**

Es propiedad, 1996
© **Edizioni Mediterranee**. Via Flaminia, 158.
00196 Roma (Italia).

© de la edición en castellano: **Editorial Hispano Europea, S.A.** Bori i Fontestà, 6-8. 08021 Barcelona (España).

Autoedición y fotomecánica realizada en **TGSP, S. A.** Lluís Millet, 69. 08950 Esplugues de Llobregat (Barcelona).

Depósito Legal: B. 38162.

ISBN: 84-255-1154-2.

IMPRESO EN ESPAÑA   PRINTED IN SPAIN
LIMPERGRAF, S. L. - Carrer del Riu, 17 (Nave 3) - 08291 Ripollet

Índice

Preámbulo

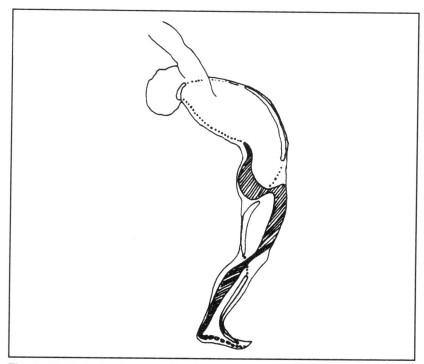

Fig. 1. Movimiento de extensión; la zona sombreada evidencia la cadena cinético-muscular en la que está inserta la musculatura glútea

¿HOMBRES O MUJERES?

En otras palabras, ¿quiénes pueden aprovechar este método?

La forma de los glúteos, tal como la vemos, es una adaptación derivada de la evolución hacia la posición erguida de nuestra especie. En efecto, ningún otro ser viviente, aparte del ser humano, posee este posicionamiento de los glúteos.

Esta singularidad nos distingue y nos caracteriza en el mundo animal, permitiéndonos movimientos que ningún otro animal puede realizar.

Pero la verticalidad que exhibimos, ¿es realmente la última etapa de nuestra evolución?

Me parece justo considerar que gran parte de nuestra postura es fruto de una educación motriz, que refleja tanto el progreso del individuo hacia lo racional como el nivel de civilización alcanzado por la sociedad en la que vive.

Por lo tanto, el *método* está diseñado para los seres humanos que en su relación con su propio cuerpo pueden disfrutar de una ayuda para su adaptación a la verticalidad. Y esto es así porque en cada ser humano, incluso actualmente, se sigue planteando el problema de aceptar o no su propia verticalidad.

Por lo tanto trataré la región glútea proponiéndome como finalidad no aislarla de la cadena motriz en la que está incluida, sino considerarla como parte de ella, enfrentándome a la problemática que la involucra.

Este intento exige del lector un esfuerzo para mirarse no sólo desde el punto de vista muscular, sino también desde el psicológico y existencial. Y si bien es cierto que en las mujeres se encuentran los mayores problemas relativos a la región glútea, también es cierto que ellas son las más sensibles a las variaciones morfológicas y por lo tanto las más dinámicas e inteligentes para afrontar la actividad física necesaria para la recuperación de la normalidad.

1

Cómo enfrentarse al relajamiento de los glúteos

ACTIVIDAD Y CONTROL ALIMENTICIO

Como todos los músculos, los glúteos, si no participan constantemente en actividades adecuadas, pueden perder su tono y convertirse en zonas de depósito de grasa de nuestro cuerpo.

Las grasas han de ser consideradas como verdaderas reservas de energía para nuestro organismo.

En una entrevista, el gran deportista R. Messner afirmaba que durante la preparación de sus ya legendarias empresas en montaña, siempre intentaba comenzar con sobrepeso, para transportar una cantidad menor de víveres y tener siempre «calorías» a su disposición.

Pero esta preciosa reserva acumulada, constituida por grasas, no suele ser consumida por quienes viven una vida cotidiana caracterizada por la carencia de movimiento. La consecuencia es una acumulación que aumenta cada año, y que al infiltrarse entre las fibras o haces musculares puede crear problemas tanto estéticos como fisiológicos.

Tratar de corregir una acumulación que ya se ha producido con un control alimenticio o con una actividad física intensa puede ser contraproducente. Porque la alimentación tiende a mantener el tejido en estado de relajación y la actividad física puede aumentar el umbral del apetito.

La solución que yo propongo consiste en combinar dos mecanismos en su intensidad media, es decir:

– *Una actividad cómoda de tipo estrictamente aeróbico* (por ejemplo caminar, pedalear,... practicar una actividad física que no necesite un aumento sensible de las pulsaciones cardíacas).

– *Un control alimenticio enfocado a la reducción de la cantidad de grasa en la dieta.*

Los problemas específicos de la zona glútea se pueden resolver sin hacer pasar hambre al organismo, junto a una actividad aeróbica con una sucesión de ejercicios específicos. Por lo tanto mi propuesta para hacer adelgazar y al mismo tiempo afinar la región glútea es la siguiente:

1) Largos paseos, si es posible con tramos en subida (fig. 2).

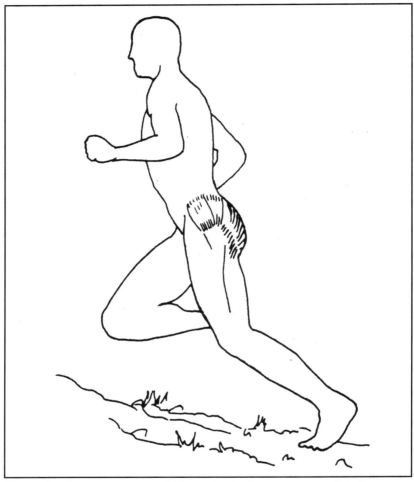

Fig. 2. Caminar o correr en subida estimula de manera completa la musculatura glútea

2) Una alimentación completa pero reduciendo las cantidades de grasas (evitar: golosinas, mantequilla, alcohol...).
3) Ejercicios específicos para la zona.

La importancia de los largos paseos a paso cómodo está justificada por las investigaciones realizadas por uno de los más eminentes fisiólogos deportivos, el Dr. R. Margaria, quien, en sus estudios sobre el metabolismo, pone en evidencia que en el caso de la marcha o carrera tranquila se consume el 90 % de las grasas y el 10 % de los azúcares. Mientras que en las actividades de velocidad, disminuye el porcentaje de grasas consumidas y aumenta el de los azúcares. El efecto que se obtiene sobre el organismo con este último tipo de actividad es el de llegar a una hipoglucemia con la consiguiente sensación de apetito. El hecho de incluir tramos en subida en el paseo puede tener un enorme efecto sobre la musculatura glútea, porque, como veremos en el subsiguiente análisis del movimiento, se estimula plenamente su funcionamiento coordinada por la cadena motriz a la cual pertenece.

La alimentación que yo he definido como completa, pero con un aporte de grasas inferior a lo habitual, permitirá que el individuo no reciba más aportes que aumenten el depósito.

Los ejercicios específicos tienen la función de acondicionar de manera extensa y completa la vascularización del grupo muscular y la recuperación del tono postural óptimo.

Lo que hemos dicho hasta aquí, intenta resolver el problema de quien teniendo un sobrepeso quiere recuperar al mismo tiempo su peso normal y el tono muscular adecuado. En cambio, quien ya tiene el peso normal y siente que no posee el tono muscular adecuado, hará mejor en dedicarse preferentemente a los paseos y a los ejercicios específicos.

2
La celulitis

QUÉ ES

La celulitis es una alteración de la grasa corporal subcutánea. Esta alteración dificulta la combustión de la grasa misma y, por otra parte, facilita su acumulación aumentando progresivamente la cantidad de grasa alterada, es decir, de celulitis. La consistencia de la celulitis puede ser más o menos blanda según la cantidad de agua presente en los glóbulos de grasa (fig. 3).

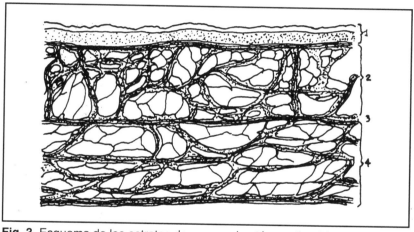

Fig. 3. Esquema de los estratos de grasa subcutánea: 1) epidermis; 2) estrato lobular; 3) haz superficial; 4) estrato laminar del subcutáneo. En este tipo de tejidos pueden aparecer formaciones celulíticas

LAS CAUSAS

No es posible identificar una causa precisa, pero es posible determinar ciertas causas comunes que permiten el aumento y la consolidación de la celulitis.

Evidentemente se llega a hablar de celulitis cuando el problema existe ya a nivel macroscópico, es decir, cuando es visible como alteración de la zona afectada. Se ha determinado que el denominador común a todos los tipos de celulitis es el relajamiento del tejido a nivel de los vasos sanguíneos venosos y a nivel linfático (figs. 4, 5, 6). Este relajamiento parecería estar causado, inicialmente, por un *desequilibrio hormonal* identificado en la producción y relativa retención en exceso o en defecto de los estrógenos. Por ello, serían estos últimos los que provocarían, con su acción vasodilatadora, un relajamiento de la musculatura de los vasos venosos, permitiendo la exudación y el estancamiento de los líquidos a nivel de los tejidos que circundan los vasos.

No es mi intención desarrollar en este libro el problema de la celulitis como patología, sino sólo y únicamente verificar, ba-

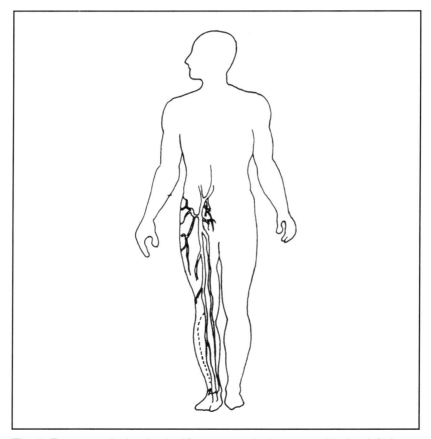

Fig. 4. Esquema de la circulación venosa de las extremidades inferiores. Las causas de la celulitis tienen como denominador común una relación alterada entre el sistema venoso, el sistema linfático y el líquido intersticial

sándome en los estudios recientes, la gran influencia que la actividad física organizada puede ejercer en la prevención y terapia de esta afección.

Puesto que muchos autores relacionan el problema con una alteración circulatoria del sistema venoso y del sistema linfático, parecería que mediante un tratamiento para mejorar la red circulatoria venosa, y paralelamente el drenaje linfático, se podría obtener una normalización a nivel de la zona celulítica. Por lo tanto, la intervención terapéutica de la actividad física organizada sugerida en este libro halla en este ámbito su aplicación e indiscutible eficacia.

Como ya indicamos en el capítulo anterior, una actividad aeróbica, una gimnasia adecuada y una alimentación correcta pueden reducir la cantidad de grasas a nivel corporal y al mismo tiempo restablecer una circulación venosa y un drenaje linfático óptimos.

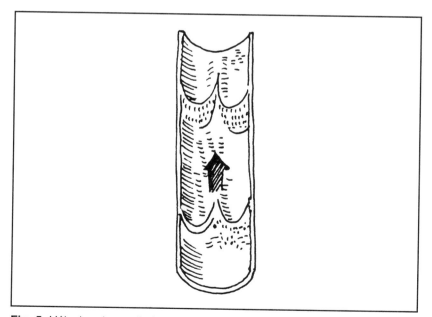

Fig. 5. Válvulas de media luna de una vena seccionada. La sangre venosa, para ascender, necesita la contracción muscular que se produce en los movimientos espontáneos. Su ascensión queda asegurada por las válvulas de media luna

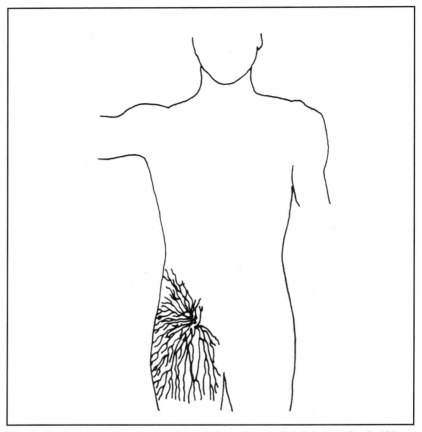

Fig. 6. Representación esquemática de la red superficial de las vías linfáticas y de los nudos linfáticos de la región inguinal. El mal funcionamiento de la función linfática causado por vestimentas demasiado estrechas o por carencia de movimiento provoca un estancamiento de los líquidos intersticiales y consiguientemente, residuos. Estos últimos pueden favorecer la aparición de la celulitis

En consecuencia, el método propuesto en este libro se ofrece antes que nada como *prevención*, puesto que por medio de los ejercicios específicos para la zona y los ejercicios propuestos en el apéndice se respeta totalmente tanto la función circulatoria arterial como la venosa y linfática.

En segundo lugar el método es adecuado para la celulitis en su etapa inicial, porque las tablas de trabajo permiten, al progresar en intensidad y duración, *recuperar la zona antes* de que se vea afectada de manera extensiva.

Para la celulitis descuidada y muy extendida, el método puede ser además útil para *bloquearla e impedir que siga avanzando*, consiguiendo al mismo tiempo eliminar la acumulación más reciente.

Para terminar este breve capítulo dedicado a la gimnasia y la celulitis, en el que sólo se quiere destacar que la *celulitis puede evitarse*, al menos en sus formas más extendidas, y que además se la puede *prevenir* y *tratar* en sus formas iniciales, sólo queda agregar que haber destacado la importancia de una *actividad aeróbica como complemento a los ejercicios,* nace de la exigencia de combatir la celulitis reactivando la circulación y dando así a los órganos relacionados con la eliminación de los residuos producidos por el organismo, como el hígado y los riñones, la posibilidad de purificar la sangre.

3

Quinesiología de la musculatura glútea

TIPOS DE MOVIMIENTO

La musculatura glútea se expresa en toda su amplitud de movimiento principalmente mediante dos tipos de movimiento:

1) *Extensión del muslo sobre la cadera y extrarrotación*
2) *Abducción del muslo e intrarrotación*

Estos movimientos, en parte contrarios, son ejecutados por los tres músculos glúteos simultáneamente. Como es imposible aislar uno de ellos completamente, la distinción se hará en base a la mayor intervención de uno o del otro en la ejecución de los ejercicios.

1) **Extensión del muslo y extrarrotación** (fig. 7)
Definición del movimiento: cada vez que el muslo, partiendo desde una posición de flexión, se alinea con el tronco se produce un movimiento de extensión; cuando toda la extremidad inferior, rotando sobre sí misma, lleva la punta del pie hacia el exterior, se realiza un movimiento de extrarrotación. Estos movimientos son realizados principalmente por el músculo glúteo mayor.

El músculo trabaja de este modo cuando estamos sentados y nos levantamos, subimos unas escaleras, cuando caminamos en subida y cuando corremos o saltamos. Éstas son actividades que podemos definir de cuerpo libre. Pero el glúteo mayor también interviene cuando pedaleamos, patinamos, nadamos o esquiamos.

En los ejercicios del método, la posición con el tronco inclinado hacia adelante ha sido elegida para poder hacer actuar mejor y en toda su amplitud al glúteo mayor. En efecto, en estudios realizados se ha verificado que el glúteo mayor consigue desarrollar la máxima potencia cuando la cadera se encuentra flexionada unos 45°.

Hay que destacar que el glúteo mayor no sólo realiza el movimiento de extensión del muslo, sino que también colabora en el movimiento de abducción del mismo.

La parte inferior de este potente músculo se comporta de manera del todo anómala con respecto a los otros dos tercios del mismo: en su contracción el muslo se aproxima en vez de alejarse, es decir, se comporta como un músculo aductor.

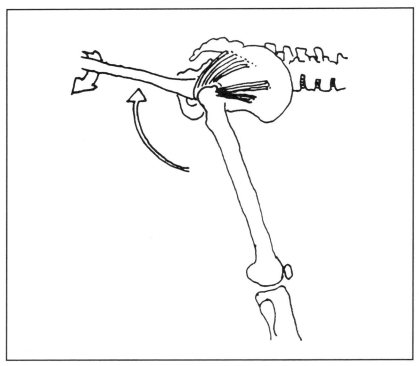

Fig. 7. Movimiento de extensión y de extrarrotación con el busto a 90°. El movimiento está principalmente a cargo del músculo glúteo mayor

Al considerar esta función contraria, se ha puesto a punto el ejercicio nº 9, que involucra tanto la extensión como la aducción. Bien ejecutado, este ejercicio producirá una tonificación eficaz de esta porción del glúteo, con la ventaja de conseguir una buena separación entre el muslo y el glúteo.

2) **Abducción del muslo e intrarrotación** (fig.8)

La abducción es el movimiento que aleja los muslos en el plano frontal.

La intrarrotación es el movimiento contrario a la extrarrotación, y se manifiesta dirigiendo la punta del pie hacia el interior, por lo tanto llevando el talón hacia el exterior. Estos movimientos son realizados paralelamente por los músculos glúteo medio y glúteo menor.

A los más perezosos les agradará saber que estos músculos actúan al levantar del suelo la extremidad inferior, aunque sea un poco. Sin embargo, el glúteo medio y el glúteo menor son dos de los músculos más poderosos de nuestro cuerpo.

Por lo tanto, para poder solicitarlos verdaderamente, es necesario insistir con diferentes ejercicios y un número elevado de repeticiones. En efecto, el glúteo medio tiene un notable espesor y sus fibras dispuestas en abanico sólo pueden dar a la cadera la típica morfología ahuecada cuando están bien entrenados.

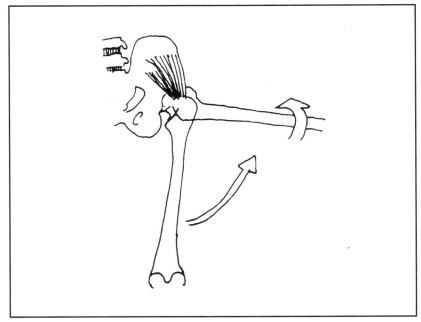

Fig. 8. Movimiento de abducción y de intrarrotación en posición erguida. El movimiento está principalmente a cargo de los músculos glúteo medio y glúteo menor

4

Parte sistemática

LOS EJERCICIOS

Los ejercicios elegidos para la estructuración del método están entre los más difundidos en los gimnasios, y por lo tanto son conocidos por la mayor parte de los monitores y por todos los que frecuentan o han frecuentado los gimnasios. Se propondrá algunas variantes de estos ejercicios, para obtener de su sucesión el máximo rendimiento posible.

En efecto, realizar un solo ejercicio no es suficiente para entrenar toda la musculatura glútea. Para estimular el grupo muscular en todos sus aspectos, se necesita una gama completa de ejercicios. Y esto porque, como se ha demostrado en el capítulo anterior, la musculatura glútea es una de las más complejas de nuestro organismo, ya que es capaz de desarrollar movimientos opuestos entre sí.

En esta parte sistemática se describen 10 ejercicios que involucrarán los músculos según las siguientes modalidades:

— ejercicios con el movimiento de una sola extremidad cada vez;

— ejercicios con el movimiento de ambas extremidades simultáneamente;

— ejercicios en los que se mantiene la posición de máxima extensión tanto de cada extremidad como de ambas simultáneamente.

La inclusión de los ejercicios que involucran simultáneamente a ambas extremidades dará al practicante la posibilidad de constatar cuál de las dos regiones glúteas entra más en acción durante la ejecución de los ejercicios. En nuestra morfología simétrica (dos ojos, dos brazos...), siempre hay una parte dominante. Es decir, tenemos un ojo más débil y otro más fuerte..., de la misma manera las regiones glúteas de la izquierda y de la derecha poseen tonos musculares diferentes. La importancia, desde el punto de vista metodológico, de realizar ejercicios simétricos consiste en dar al practicante la oportunidad de percibir cuál de las dos partes es la dominante y cuál es la deficiente, para poder armonizarlas mediante los ejercicios y obtener una tonificación simétrica.

EJECUCIÓN DE LOS EJERCICIOS

La regla general descrita en el capítulo anterior, aplicada ahora a los ejercicios individuales, puede simplificarse de esta manera:

—Los ejercicios para el glúteo mayor están compuestos por movimientos de alineación de la extremidad con el tronco e implican la extrarrotación del pie.
— Los ejercicios para el glúteo medio y el glúteo menor están compuestos por movimientos de separación lateral de la extremidad y requieren la intrarrotación del pie.

RITMOS DE EJECUCIÓN

Se ha establecido un ritmo de ejecución para cada ejercicio. Los ritmos dictaminan la ejecución de los movimientos desde su posición de partida hasta su retorno.
Los ritmos elegidos son:

— Una repetición por segundo (1x1").
— Dos repeticiones por segundo (2x1").
— Una repetición cada dos segundos (1x2").
— Una repetición cada cinco segundos (1x5").

Los ejercicios de mantenimiento, es decir, isométricos, prevén que se alcance la posición intermedia del movimiento y se la mantenga durante el número de segundos indicado. Estos ejercicios varían desde:

— Mantenimiento durante quince segundos (15").
— Mantenimiento durante treinta segundos (30").
— Mantenimiento durante un periodo comprendido entre uno y dos minutos (1' /2').

LA RESPIRACIÓN

En la ejecución de los ejercicios es necesario espirar durante la fase de separación de ambas extremidades entre sí. Dedicar una espiración a cada movimiento facilitará el ritmo de ejecución del ejercicio, permitiendo una oxigenación adecuada.

En los ejercicios en que se debe mantener una posición, la respiración es espontánea.

LA CONCENTRACIÓN

La ejecución de los ejercicios puede ser más eficaz si se está en disposición de percibir el músculo que se está contrayendo y al mismo tiempo llevarlo hacia la máxima contracción. La percepción del músculo mientras se contrae es posible gracias al sistema propiaceptivo de nuestro organismo, situado tanto a nivel articular como a nivel muscular, es decir, somos capaces de saber si y cuánto se ha extendido el muslo y al mismo tiempo cuánto se fatiga el glúteo al realizar ese movimiento dado. Esta actitud mental, es decir, la concentración, debería buscarse tanto como sea posible durante los entrenamientos. De este modo se aprovechará al máximo la ventaja de los ejercicios.

Ejercicios

EJERCICIO Nº 1

Músculos interesados: **glúteo medio y menor.**
Movimiento: **abducción e intrarrotación.**

DESCRIPCIÓN

Partiendo desde una posición tendido sobre un costado (fig. 9), llevar una mano frente al pecho y apoyar la palma en el suelo; la otra mano sostiene la cabeza. Elevar suavemente la pierna superior, manteniendo la pelvis ligeramente inclinada hacia adelante; tratar de llevar el talón al punto más elevado de la pierna que se está elevando, dirigiendo la punta del pie hacia abajo.

Bajar la pierna, siempre suavemente.

Las repeticiones por serie se realizan alternando, sin pausa, una serie para cada pierna.

ERRORES MÁS COMUNES

— No colocarse bien sobre el costado;
— no mantener el talón como punto más elevado durante el ejercicio;
— realizar el movimiento con lanzamiento de la pierna, imprimiéndole así demasiada fuerza de inercia.

Velocidad: Una repetición por segundo (1x1").
Respiración: Espirar durante la elevación de la pierna.

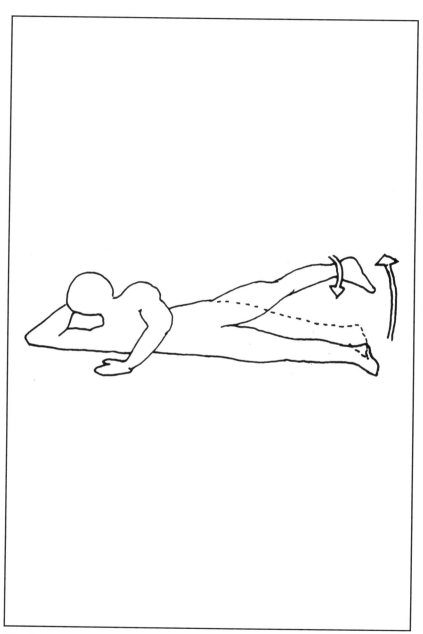

Fig. 9

EJERCICIO Nº 2

Músculos interesados: **Glúteo mayor.**
Movimiento: **Extensión y extrarrotación.**

DESCRIPCIÓN

A este ejercicio yo lo llamo «movimiento hacia atrás» (en algunos gimnasios lo suelen llamar «patada de burro») (fig. 10). Se describe aquí en su variante con apoyo en los codos.

Desde la posición de rodillas, con los codos apoyados en el suelo, extender la pierna en la prolongación del tronco, extrarrotando el pie. En este caso el pie está en posición «del martillo».

Las repeticiones por serie se realizan alternando sin pausa una serie por pierna.

ERRORES MÁS COMUNES

— Lanzar la pierna dando excesiva velocidad al movimiento;
— arquear la región lumbar bajo el esfuerzo del ejercicio.

Velocidad: Una repetición por segundo (1x1").
Respiración: Espirar durante la extensión de la pierna.

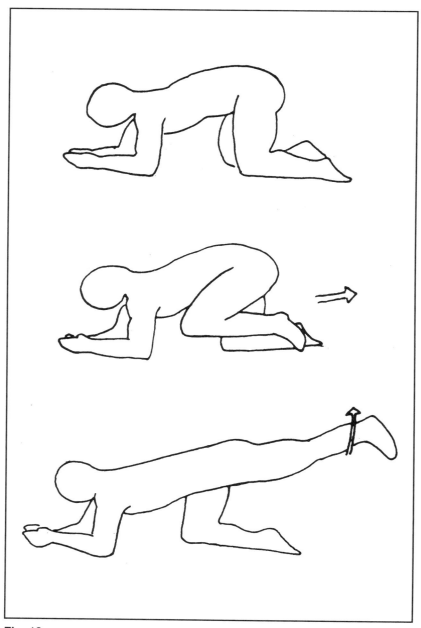

Fig. 10

EJERCICIO Nº 3

Músculos interesados: **Glúteo medio y menor.**
Movimiento: **Abducción e intrarrotación.**

DESCRIPCIÓN

Desde la posición erguido, con una mano apoyada en la pared, llevar el cuerpo a una posición oblicua con respecto a la pared (fig. 11).
Desde esta posición hacer una suave abducción de la pierna girando la punta del pie hacia abajo. Las repeticiones por serie se realizan alternando sin pausa una serie por pierna.

ERRORES MAS COMUNES

— Lanzar la pierna ;
— no asumir bien la posición oblicua.

Velocidad: Dos repticiones por segundo (2x1").
Respiración: Espirar durante la abducción.

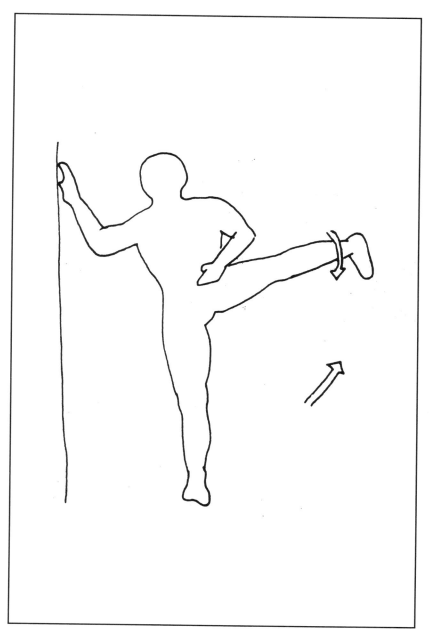

Fig. 11

EJERCICIO Nº 4

Músculos interesados: **Glúteo mayor.**
Movimiento: **Extensión y extrarrotación.**

DESCRIPCIÓN

Es una variante del ejercicio nº 2, adaptada para dar más eficacia a la secuencia de ejercicios.

Desde la posición erguida, tronco inclinado a 90°, apoyar las manos en un soporte (fig. 12). Desde esta posición llevar primero una rodilla hacia el pecho y después extenderla hacia atrás hasta que quede alineada con el tronco. Las repeticiones por serie se realizan alternando sin pausa una serie por pierna.

ERRORES MÁS COMUNES

— Lanzamiento de la pierna hacia atrás;
— arquear la zona lumbar (este error debe ser evitado a toda costa, porque podría participar de modo negativo la región lumbar).

Velocidad: Una repetición cada segundo (1x1").
Respiración: Espirar durante la flexión de la pierna.

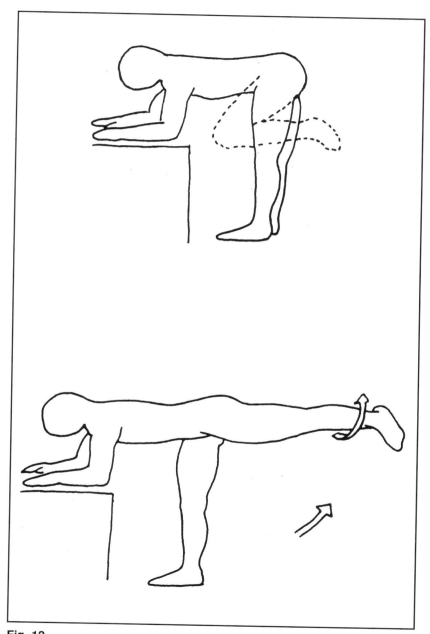

Fig. 12

EJERCICIO N° 5

Músculos interesados: **Glúteo mayor, mediano y menor.**
Movimiento: **Abducción y extensión con extrarrotación.**

DESCRIPCIÓN

Posición erguida, manos apoyadas en una pared o en un soporte (fig. 13).
El ejercicio se compone de cinco fases:

1) elevar una rodilla hacia adelante y hacia el pecho;
2) después llevarla hacia el costado;
3) inclinar el tronco hacia adelante y extender suavemente la pierna hacia atrás y hacia arriba;
4) llevar la pierna hacia el costado con la rodilla flexionada;
5) apoyar el pie en el suelo y volver el tronco a la posición erguida;

Las repeticiones por serie se realizan alternando sin pausa una serie por pierna.
Durante la ejecución del ejercicio sería conveniente concentrarse en la contracción total del glúteo, contracción que se produce en la parte central del ejercicio.

ERRORES MÁS COMUNES

— No elevar bien la rodilla hacia adelante;
— no flexionar el tronco hacia adelante (la flexión del tronco tiene la función de evitar la leve intervención de la zona lumbar durante la extensión de la pierna).

Ritmo: un segundo por cada fase del ejercicio (1x5").
Respiración: inhalación breve durante la elevación hacia adelante de la rodilla y espiración prolongada durante las otras fases del ejercicio.

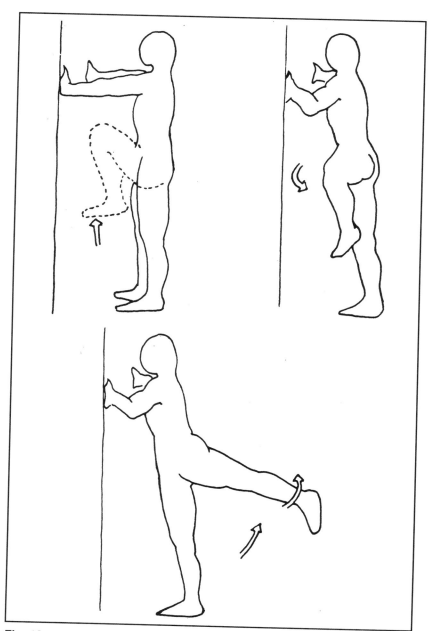

Fig. 13

EJERCICIO Nº 6

Músculos interesados: **Glúteo mayor**
Movimiento: **Fijación de la musculatura en extensión y en extrarrotación.**

DESCRIPCIÓN

Desde la posición erguida, tronco inclinado a 90°, sujetar con las manos un apoyo y desequilibrarse hacia atrás, de modo que la pelvis quede más allá de la perpendicular sobre los talones. Elevar una pierna buscando la alineación con el tronco y mantener la posición (fig. 14).

Algunas personas podrán encontrar difícil conseguir una completa alineación entre la pierna y el tronco, debido a la tensión sobre los músculos posteriores del muslo; en este caso el ejercicio no pierde su eficacia si la pierna no alcanza la posición horizontal. Para todos es válida la consigna de elevar la pierna tanto como sea posible (hasta la máxima amplitud).

ERRORES MÁS COMUNES

— No mantener el estado de desequilibrio;
— arquear la zona lumbar para compensar el movimiento.

Ritmo: Manteniendo, 15 segundos por pierna (2x15").
Respiración: Espontánea.

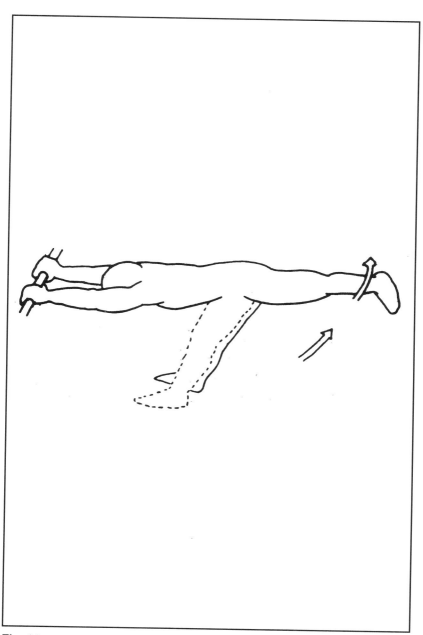

Fig. 14

EJERCICIO N° 7

Músculos interesados: **Glúteo mayor.**
Movimiento: **Extensión y extrarrotación.**

DESCRIPCIÓN

Desde la posición en cuatro apoyos (cuadrupedia), con las manos apoyadas en una plataforma de unos 30 cm, piernas ligeramente flexionadas, extender una pierna hacia atrás y hacia arriba, tratando de rotarla hacia afuera (fig. 15).
Las repeticiones por serie se realizan alternando sin pausa una serie por pierna.

ERRORES MÁS COMUNES

— Es difícil cometer errores en este ejercicio; la única advertencia consiste en apoyar efectivamente las manos a una altura inferior a la de la rodilla.

Ritmo: Dos repeticiones cada segundo (2x1").
Respiración: Espiración durante la extensión de la pierna.

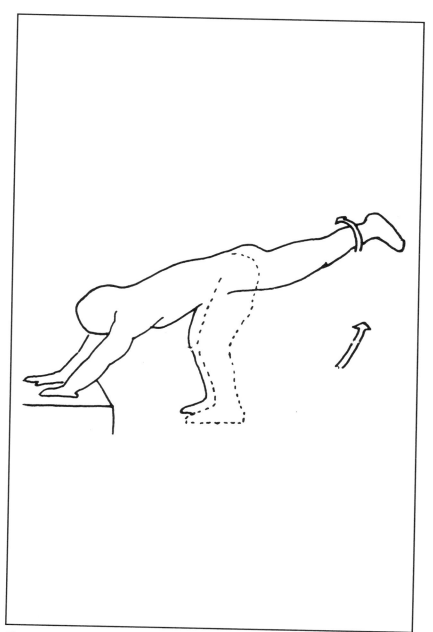

Fig. 15

EJERCICIO Nº 8

Músculos interesados: **Glúteo mayor.**
Movimiento: **Fijación de la extensión y extrarrotación.**

DESCRIPCIÓN

Se trata de un ejercicio en el que se mantiene una posición, por lo tanto isométrico (fig. 16). Es una variante del ejercicio nº 7.

Desde la posición de cuadrupedia, manos apoyadas sobre una plataforma de unos 30 cm, piernas ligeramente separadas, extender hacia atrás y hacia arriba una pierna y mantener la posición tratando de girar el pie hacia afuera. Para una correcta ejecución es necesario tratar de conseguir alinear la pierna con el tronco. Las repeticiones se realizan alternando sin pausa una serie por pierna.

ERRORES

— Tener la pierna demasiado baja durante el ejercicio.

Ritmo: Mantener (1x30").
Respiración: Espontánea.

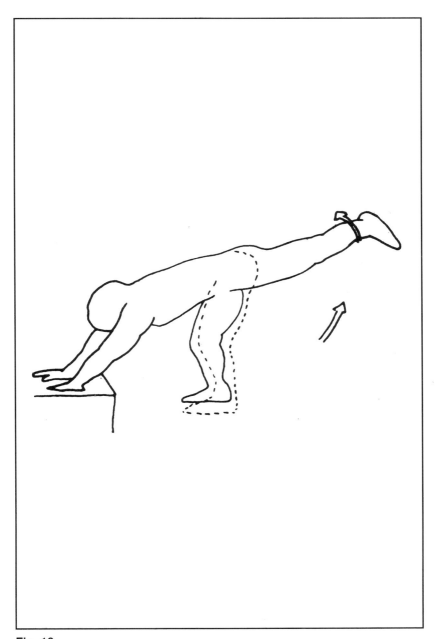

Fig. 16

EJERCICIO Nº 9

Músculos interesados: **Glúteo mayor** (su parte inferior).
Movimiento: **Fijación de la extensión y extrarrotación.**

DESCRIPCIÓN

Partiendo de la posición tendido de espalda (supina) con las piernas flexionadas y ligeramente separadas, apartando un poco las puntas de los pies y elevar la pelvis hasta que quede alineada con los muslos y el tórax (fig. 17). Alcanzada esta posición, presionar sobre el suelo con los talones y manteniendo las rodillas separadas, hacer una contracción isométrica como si se intentara acercar los talones entre sí. Evidentemente no debe producirse desplazamiento alguno de los talones o de las rodillas.
Poner las manos bajo los glúteos y comprobar su completa contracción.

ERRORES

— No presionar el suelo con los talones;
— acercar las rodillas o los talones entre sí durante el ejercicio.

Ritmo: Mantener la posición durante uno a dos minutos (1x1'/2').
Respiración: Espontánea.

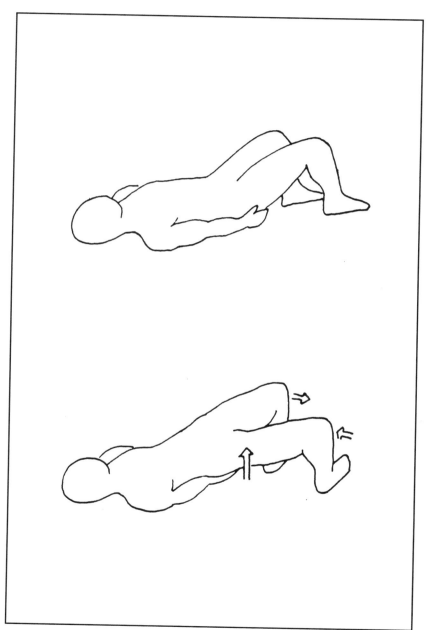

Fig. 17

EJERCICIO Nº 10

Músculos interesados: **Glúteo mayor.**
Movimiento: **Extensión y extrarrotación simétrica.**

DESCRIPCIÓN

Tendido boca abajo sobre un banco de una altura de al menos 40 cm, piernas relajadas hacia abajo y separadas completamente, elevar lentamente las piernas hasta que queden en línea con el tronco, después juntar las piernas poniéndolas en extrarrotación (fig. 18).

ERRORES

— Elevar las piernas más allá de la alineación con el tronco, involucrando así a la región lumbar.

Ritmo: Una repetición cada dos segundos (1x2").
Respiración: Espirar mientras se elevan las piernas.

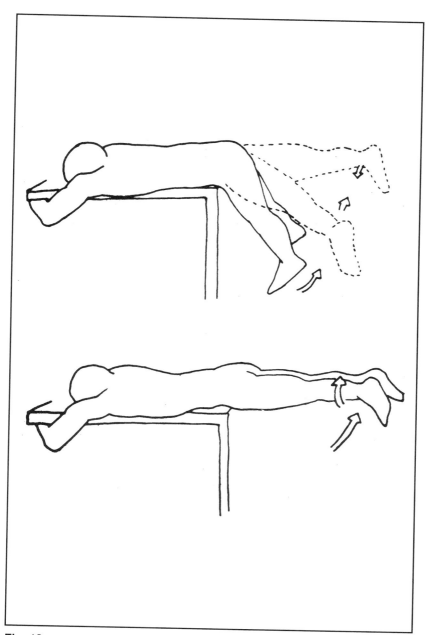

Fig. 18

5

El método y las tablas

INTENSIDAD Y EFECTO

El método está formado por nueve ejercicios que alternándose forman las diez tablas de trabajo. En cada tabla de trabajo se estimulan todos los sectores de la región glútea; además las tablas son de intensidad progresiva, para mantener el estímulo de entrenamiento al final de cada sesión.

Los efectos de este método de entrenamiento son una mayor vascularización y una tonificación de la musculatura glútea. La mayor vascularización facilitará la recuperación de las grasas que están depositadas en la zona y, con esto, el drenaje de las sustancias residuales.

Me parece oportuno recordar al practicante de este método que el adelgazamiento efectivo de la región glútea puede conseguirse sólo aplicando una «dieta» y desarrollando, paralelamente a los ejercicios, las actividades aeróbicas descritas en el capítulo primero.

FRECUENCIA DE LOS ENTRENAMIENTOS

Aconsejo entrenarse una vez al día, de cuatro a seis veces por semana, según el siguiente esquema:

4 días - LUN - MAR - MIER (descanso) - JUE - VIER - SAB (descanso) - DOM (descanso).
5 días - LUN - MAR - MIER (descanso) - JUE - VIER - SAB - DOM (descanso).
6 días - LUN - MAR - MIER - JUE - VIER - SAB - DOM (descanso).

La elección de los días de entrenamiento es totalmente individual. Naturalmente, los mejores resultados se obtienen con seis entrenamientos por semana. La elección de seis entrenamientos por semana puede ser problemática sólo a nivel de la motivación psicológica. Con la disminución del entusiasmo inicial se corre el riesgo, durante la ejecución del programa completo, de no conseguir mantener la frecuencia preestablecida de los entrenamientos. Lo importante, aunque se produzca una disminución durante las nueve semanas, consiste en mantener una frecuencia de al menos cuatro entrenamientos por semana.

Los largos paseos o las actividades de tipo aeróbico pueden realizarse también durante los días en los que se ejecutan las tablas de entrenamiento; ambos sistemas no están en oposición.

CUÁNDO CAMBIAR DE TABLA

Una finalidad importante del método es la tonificación y la vascularización de la zona interesada. Por esto *el método prevé que se cambie de tabla cada semana*, de modo que se eleve la intensidad del estímulo para que resulte útil como entrenamiento.

El estímulo que provoca el entrenamiento puede notarse durante la práctica de los ejercicios como esa sensación de ligero dolor y calor difuso que se manifiesta al final o durante los entrenamientos a nivel de la musculatura glútea.

LA VESTIMENTA

Como en cualquier práctica deportiva es recomendable utilizar una indumentaria cómoda que permita realizar los movimientos en toda su amplitud, y que facilite la transpiración de la piel sin limitar ninguna parte del cuerpo, lo cual dificultaría la circulación.

CÓMO EJECUTAR LAS TABLAS

Los ejercicios descritos en las tablas han de ser ejecutados según el ritmo, las repeticiones y el tipo de respiración indicados. Siempre es mejor, cuando hay dudas acerca de la ejecución de los ejercicios, volver a leer su descripción en el capítulo tercero, en vez de mantener las dudas y de hacerlos mal.

Los ejercicios de las tablas se realizan seguidos y sólo se podrá hacer una pausa cuando esté indicada.

SERIES POR REPETICIONES

Para poder entrenar a un grupo muscular es necesario someterlo a una sucesión de estímulos tales (en nuestro caso son los movimientos individuales de los ejercicios), que requieran una modificación de su estado de tensión originario.

El sistema de las «series por repeticiones» se realiza según la idea de que un cierto número de repeticiones de un movimiento estímulo de intensidad media puede repetirse después de una pausa o reposo adecuado.

En el método descrito aquí, la pausa queda determinada por la alternancia de las piernas durante la ejecución de los ejercicios, tanto en los ejercicios dinámicos como en los de mantener una posición (estáticos).

Así, para los ejercicios nos 1 - 2 - 3 - 4 - 5 - 6 - 7, se completará una serie con la pierna derecha y una con la pierna izquierda; y la serie se repetirá en seguida, si así está prescrito, sin solución de continuidad.

SERIES POR REPETICIONES PROGRESIVAS

Los ejercicios nos 1 - 3 - 7 son los más dinámicos del método y prevén un ritmo rápido de ejecución (dos repeticiones por segundo, 2x1"). Esta ejecución rápida implica un notable cansancio; así se ha hecho necesario, para poder seguir estimulando el músculo, reducir el número de repeticiones a medida que avanza la serie. Evidentemente tampoco estos ejercicios tendrán pausas entre una y otra serie, porque la pausa o descanso está prevista en el interior de la tabla.

Para aclarar la ejecución de los ejercicios indicados arriba propongo el siguiente ejemplo.

Ejercicio nº 1, repeticiones (abreviadamente, rep) 15 -10 - 7.
Es decir: 15 - repeticiones para la pierna izquierda;
15 - repeticiones para la pierna derecha;
10 - repeticiones para la pierna izquierda;
10 - repeticiones para la pierna derecha;
7 - repeticiones para la pierna izquierda;
7 - repeticiones para la pierna derecha.

Evidentemente el cambio de frente ha de hacerse lo más rápidamente posible.

Tablas

TABLA «A»   PRIMERA SEMANA

1) *Ejercicio* nº 1. Ritmo: 2 rep x 1 seg.
   Rep 15-10-7.

2) *Ejercicio* nº. 2. Ritmo: 1 rep x 1 seg.
   Rep 2 series x 10 rep.

3) *Ejercicio* nº 8. Ritmo: Mantener.
   Rep 1 serie x 30 seg.

4) *Ejercicio* nº 9. Ritmo: Mantener.
   Rep 1 serie x 1'/2'

Antes de afrontar la primera sesión de la primera semana, intentar realizar cada uno de los ejercicios. En efecto, es necesario resolver las dudas sobre la ejecución de cada uno de ellos, tanto en lo que se refiere a los ritmos recomendados como a los tipos de respiración que han de aplicarse durante su ejecución.

Ejecutar la tabla sin descanso entre un ejercicio y el siguiente ni entre una serie y la siguiente. Si el cansancio muscular le vence antes de terminar la tabla reduzca la duración de la sesión.

2 REP × 1''	1 REP × 1''
EJ. 1	EJ. 2
15-10-7	2 × 10

MANTENER	MANTENER
EJ. 8	EJ. 9
1 × 30''	1 × 1'/2'

TABLA «B»   SEGUNDA SEMANA

1) *Ejercicio* nº 3. Ritmo: 2 rep x 1 seg.
   Rep 20 - 15 - 10.

2) *Ejercicio* nº 4. Ritmo: 1 rep x 2 seg.
   Rep 2 series x 10 rep.

3) *Ejercicio* nº 5. Ritmo: 1 rep x 5 seg.
   Rep 2 series x 10 rep.

4) *Ejercicio* nº 6. Ritmo: Mantener.
   Rep 2 series x 15 seg.

5) *Ejercicio* nº 9. Ritmo: Mantener.
   Rep 1 serie x 1'/2'.

En esta segunda semana se enfrentará usted a nuevos ejercicios en la tabla. Es importante que antes de ejecutar la tabla su dinámica esté clara, con especial referencia a la respiración. Hay que resaltar el cuidado que se deberá poner en los movimientos de rotación del pie, de extrarrotación o de intrarrotación.

2 REP × 1''	1 REP × 2''
EJ. 3	EJ. 4
20-15-10	2 × 10

1 REP × 5''	MANTENER	MANTENER
EJ. 5	EJ. 6	EJ. 9
2 × 10	2 × 15''	1 × 1'/2'

TABLA «C»   TERCERA SEMANA

1) *Ejercicio* nº 7. Ritmo: 2 rep x 1 seg.
   Rep 2 series x 20 rep.

2) *Ejercicio* nº 8. Ritmo: Mantener.
   Rep 1 serie x 30 seg.

3) *Ejercicio* nº 10. Ritmo: 1 rep x 2 seg.
   Rep 1 serie x 20 rep.

4) *Ejercicio* nº 9. Ritmo: Mantener.
   Rep 1 serie x 1'/2'.

En esta tabla aparecen dos ejercicios nuevos, el nº 7 y el
nº 10. Siendo una tabla de transición, para algunas personas
podrá resultar blanda. El estímulo de entrenamiento reside en
cambio en la búsqueda de una ejecución perfecta de los ejercicios nº 10 y nº 9 los cuales, puestos en sucesión, dan la oportunidad de percibir la contracción simultánea de ambos glúteos.
Será importante por lo tanto concentrarse para llevar los músculos a su máxima contracción.

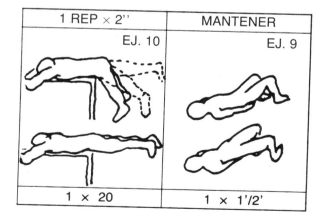

2 REP × 1''	MANTENER
EJ. 7	EJ. 8
2 × 20	1 × 30''

1 REP × 2''	MANTENER
EJ. 10	EJ. 9
1 × 20	1 × 1'/2'

TABLA «D»   CUARTA SEMANA

1) *Ejercicio* n⁰ 6. Ritmo: Mantener.
   Rep 2 series x 15 rep.

2) *Ejercicio* n⁰ 5. Ritmo: 1 rep x 5 seg.
   Rep 2 series x 20 rep.

3) *Ejercicio* n⁰ 3. Ritmo: 2 rep x 1 seg.
   Rep 20 - 15 - 10

4) *Ejercicio* n⁰ 9. Ritmo: Mantener.
   Rep 1 serie x 1'/2'

5) *Ejercicio* n⁰ 10. Ritmo: 1 rep x 2 seg.
   Rep 1 serie x 25 rep.

En esta tabla aparecen ejercicios que ya son conocidos y que ya han realizado y corregido durante las semanas anteriores.

La sesión comienza con un ejercicio de «mantener» y continúa con el ejercicio n⁰ 5, que es lento pero muy eficaz. Con este comienzo se requiere a la musculatura glútea que se contraiga en la posición de máximo acortamiento. El ejercicio n⁰ 3, que es muy dinámico, está en cambio en el centro del entrenamiento. Será importante ejecutarlo sin lanzar la pierna, para hacer trabajar la musculatura sin aprovechar la fuerza de inercia que puede resultar del lanzamiento. Por lo tanto será necesario concentrarse al máximo en este ejercicio. El final de la sesión se invierte con respecto al de las semanas anteriores, porque con el músculo cansado, en el ejercicio n⁰ 10, se favorecerá la sensación de «estímulo de entrenamiento» en función de la contracción del músculo.

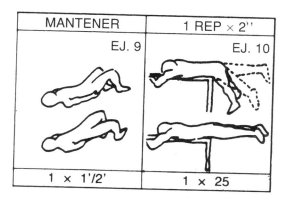

MANTENER	1 REP × 5''	2 REP × 1''
EJ. 6	EJ. 5	EJ. 3
2 × 15''	2 × 10	20-15-10

MANTENER	1 REP × 2''
EJ. 9	EJ. 10
1 × 1'/2'	1 × 25

TABLA «E»   QUINTA SEMANA

1) *Ejercicio* n° 1. Ritmo: 2 rep x 1 seg.
   Rep 15 - 10 - 7

2) *Ejercicio* n° 2. Ritmo: 1 rep x 1 seg.
   Rep 2 series x 10 rep.

3) *Ejercicio* n° 8. Ritmo: Mantener.
   Rep 1 serie x 30 seg.

4) *Ejercicio* n° 9. Ritmo: Mantener.
   Rep 1 serie x 1'/2'.

PAUSA 1 MINUTO

5) *Ejercicio* n° 3. Ritmo: 2 rep x 1 seg.
   Rep 20 - 15 - 10

6) *Ejercicio* n° 4. Ritmo: 1 rep x 2 seg.
   Rep 2 series x 10 rep.

7) *Ejercicio* n° 5. Ritmo: 1 rep x 5 seg.
   Rep 2 series x 10 rep.

8) *Ejercicio* n° 6. Ritmo: Mantener.
   Rep 2 series x 15 seg.

9) *Ejercicio* n° 9. Ritmo: Mantener.
   Rep 1 serie x 1'/2'.

Llegados a esta semana, con los músculos ya en proceso de adaptación, el método prevé, para poder mantener el estímulo de entrenamiento, un aumento del número de ejercicios.

El impacto será similar al de las primeras sesiones, con la diferencia de que se tendrá una velocidad de recuperación decididamente mayor. Si alguno han escogido un programa de entrenamiento de 6 sesiones semanales, y ahora tiene dificultades tanto en la ejecución como en la recuperacón del cansancio, será conveniente dar a la musculatura uno o dos días más de descanso.

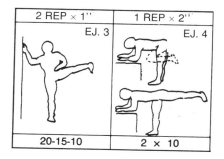

2 REP × 1''	1 REP × 1''	MANTENER	MANTENER	P
EJ. 1	EJ. 2	EJ. 8	EJ. 9	A U S A 1'
15-10-7	2 × 10	1 × 30''	1 × 1'/2'	

2 REP × 1''	1 REP × 2''
EJ. 3	EJ. 4
20-15-10	2 × 10

1 REP × 5''	MANTENER	MANTENER
EJ. 5	EJ. 6	EJ. 9
2 × 10	2 × 15''	1 × 1'/2'

TABLA «F»   SEXTA SEMANA

1) *Ejercicio* nº 1. Ritmo: 2 rep x 1 seg.
   Rep 15- 10 - 7

2) *Ejercicio* nº 2. Ritmo: 1 rep x 1 seg.
   Rep 2 series x 10 rep.

3) *Ejercicio* nº 8. Ritmo: Mantener.
   Rep 1 serie x 30 seg.

4) *Ejercicio* nº 9. Ritmo: Mantener.
   Rep 1 serie x 1'/2'.

PAUSA 1 MINUTO

5) *Ejercicio* nº 7. Ritmo: 2 rep x 1 seg.
   Rep 2 series x 20 rep.

6) *Ejercicio* nº 8. Ritmo: Mantener.
   Rep 1 serie x 20 rep.

7) *Ejercicio* nº 10. Ritmo: 1 rep x 2 seg.
   Rep 1 serie x 25 rep.

8) *Ejercicio* nº 9. Ritmo: Mantener.
   Rep 1 serie x 1'/2'.

Esta tabla está casi enteramente dedicada al músculo glúteo mayor, o sea al músculo superficial de la zona.
La pausa intermedia ha de ser absolutamente respetada.

2 REP × 1''	1 REP × 1''	MANTENER	MANTENER	P
EJ. 1	EJ. 2	EJ. 8	EJ. 9	A U S A
15-10-7	2 × 10	1 × 30''	1 × 1'/2'	1'

2 REP × 1''	MANTENER	1 REP × 2''	MANTENER
EJ. 7	EJ. 8	EJ. 10	EJ. 9
2 × 20	1 × 20''	1 × 25	1 × 1'/2'

TABLA «G»   SÉPTIMA SEMANA

1) *Ejercicio* nº 3. Ritmo: 2 rep x 1 seg.
   Rep 20 - 25 - 10

2) *Ejercicio* nº 4. Ritmo: 1 rep x 2 seg.
   Rep 2 series x 10 rep.

3) *Ejercicio* nº 5. Ritmo: 1 rep x 5 seg.
   Rep 2 series x 10 rep.

4) *Ejercicio* nº 6. Ritmo: Mantener.
   Rep 2 series x 15 seg.

5) *Ejercicio* nº 9. Ritmo: Mantener.
   Rep 1 serie x 1'/2'.

PAUSA 1 MINUTO

5) *Ejercicio* nº 7. Ritmo: 2 rep x 1 seg.
   Rep 2 series x 20 rep.

6) *Ejercicio* nº 8. Ritmo: Mantener.
   Rep 1 serie x 30 seg.

7) *Ejercicio* nº 10. Ritmo: 1 rep x 2 seg.
   Rep 1 serie x 15 rep.

8) *Ejercicio* nº 9. Ritmo: Mantener.
   Rep 1 serie x 1'/2'.

Los ritmos de esta sesión prevén que sean extremadamente dinámicos al comienzo de las dos fases que la componen, ya que tienden progresivamente a extinguirse con los ejercicios de «mantener». En esta tabla es necesario concentrarse en los últimos «mantenimientos de posiciones» y buscar la simetría de contracción.

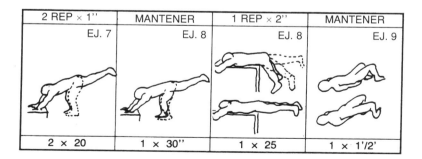

2 REP × 1''	1 REP × 2''	1 REP × 5''
EJ. 3	EJ. 4	EJ. 5
20-15-10	2 × 10	2 × 10

MANTENER	MANTENER	
EJ. 6	EJ. 9	P A U S A 1'
2 × 15''	1 × 1'/2'	

2 REP × 1''	MANTENER	1 REP × 2''	MANTENER
EJ. 7	EJ. 8	EJ. 8	EJ. 9
2 × 20	1 × 30''	1 × 25	1 × 1'/2'

TABLA «H»   OCTAVA SEMANA

1) *Ejercicio* nº 7. Ritmo: 2 rep x 1 seg.
   Rep 2 series x 20 rep.

2) *Ejercicio* nº 8. Ritmo: Mantener.
   Rep 1 serie x 30 seg.

3) *Ejercicio* nº 10. Ritmo: 1 rep x 2 seg.
   Rep 1 serie x 25 rep.

4) *Ejercicio* nº 9. Ritmo: Mantener.
   Rep 1 serie x 1'/2'.

PAUSA 30 SEGUNDOS

5) *Ejercicio* nº 6. Ritmo: Mantener.
   Rep 2 series x 15 seg.

6) *Ejercicio* nº 5. Ritmo: 1 rep x 5 seg.
   Rep 2 series x 10 rep.

7) *Ejercicio* nº 3. Ritmo: 2 rep x 1 seg.
   Rep 20-15-10

8) *Ejercicio* nº 9. Ritmo: Mantener.
   Rep 1 serie x 1'/2'.

9) *Ejercicio* nº 10. Ritmo: 1 rep x 2 seg.
   Rep 1 serie x 25 rep.

Esta tabla prevé la reducción de la pausa intermedia para favorecer el estímulo de entrenamiento.

2 REP × 1''	MANTENER	1 REP × 2''	MANTENER	P
EJ. 7	EJ. 8	EJ. 10	EJ. 9	A U S A
2 × 20	1 × 30''	1 × 25	1 × 1'/2'	30''

MANTENER	1 REP × 5''	2 REP × 1''
EJ. 6	EJ. 5	EJ. 3
2 × 15''	2 × 10	20-15-10

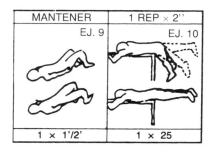

MANTENER	1 REP × 2''
EJ. 9	EJ. 10
1 × 1'/2'	1 × 25

TABLA «I»   NOVENA SEMANA

1) *Ejercicio* nº 1. Ritmo: 2 rep x 1 seg.
   Rep 15-10-7

2) *Ejercicio* nº 2. Ritmo: 1 rep x 1 seg.
   Rep 2 series x 10 rep.

3) *Ejercicio* nº 8. Ritmo: Mantener.
   Rep 1 serie x 30 seg.

4) *Ejercicio* nº 9. Ritmo: Mantener.
   Rep 1 serie x 1'/2'

PAUSA 30 SEGUNDOS

5) *Ejercicio* nº 3. Ritmo: 2 rep x 1 seg.
   Rep 20-15-10

6) *Ejercicio* nº 4. Ritmo: 1 rep x 2 seg.
   Rep 2 series x 10 rep.

7) *Ejercicio* nº 5. Ritmo: 1 rep x 5 seg.
   Rep 2 series x 10 rep.

8) *Ejercicio* nº 6. Ritmo: Mantener.
   Rep 2 series x 15 seg.

9) *Ejercicio* nº 9. Ritmo: Mantener.
   Rep 1 serie x 1'/2'.

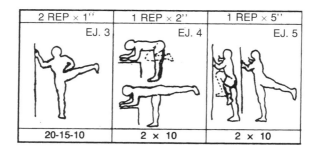

2 REP × 1''	1 REP × 1''	MANTENER	MANTENER	P
EJ. 1	EJ. 2	EJ. 8	EJ. 9	A U S A
15-10-7	2 × 10	1 × 30''	1 × 1'/2'	30''

2 REP × 1''	1 REP × 2''	1 REP × 5''
EJ. 3	EJ. 4	EJ. 5
20-15-10	2 × 10	2 × 10

MANTENER	MANTENER	P
EJ. 6	EJ. 9	A U S A
2 × 15''	1 × 1'/2'	15''

PAUSA 15 SEGUNDOS

10) *Ejercicio* nº 7. Ritmo: 2 rep x 1 seg.
    Rep 2 series x 20 rep.

11) *Ejercicio* nº 8. Ritmo: Mantener.
    Rep 1 serie x 30 seg.

12) *Ejercicio* nº 10. Ritmo: 1 rep x 2 seg.
    Rep 1 serie x 25 rep.

13) *Ejercicio* nº 9. Ritmo: Mantener.
    Rep 1 serie x 1'/2'.

Ésta es la última tabla propuesta en el método. Su duración no debería crear ningún problema, porque los músculos ya están entrenados. En esta tabla aparecen los diez ejercicios en los cuales uno ya es un experto, y cuyos beneficios ya se han comenzado a experimentar.

Se la puede considerar como la tabla de mantenimiento hasta conseguir las medidas o el peso que se quiere conseguir.

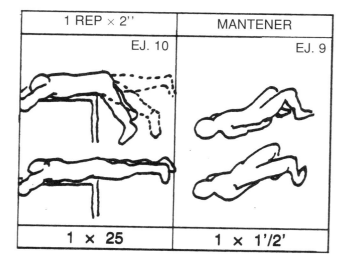

2 REP × 1'' EJ. 7	MANTENER EJ. 8
2 × 20	**1 × 30''**

1 REP × 2'' EJ. 10	MANTENER EJ. 9
1 × 25	**1 × 1'/2'**

LEYENDA

REP = REPETICIÓN
EJ = EJERCICIO
(") = SEGUNDOS
(') = MINUTOS

TABLA RESUMEN

A	2 REP × 1" EJ. 1	1 REP × 1" EJ. 2	MANTENER EJ. 8	MANTENER EJ. 9					
	15-10-7	2 × 10	1 × 30''	1 × 1/2'					
B	2 REP × 1" EJ. 3	1 REP × 2" EJ. 4	1 REP × 5" EJ. 5	MANTENER EJ. 6					
	20-15-10	2 × 10	2 × 10	2 × 15''					
C	2 REP × 1" EJ. 7	MANTENER EJ. 8	1 REP × 2" EJ. 10	MANTENER EJ. 9					
	20-15-10	2 × 10	2 × 10	1 × 1/2'					
D	MANTENER EJ. 6	1 REP × 5" EJ. 5	2 REP × 1" EJ. 3	MANTENER EJ. 9	1 REP × 2" EJ. 10				
	2 × 20	1 × 30''	1 × 20	1 × 1/2'	1 × 25	PAUSA 1'			
E	2 REP × 1" EJ. 1	1 REP × 1" EJ. 2	MANTENER EJ. 8	MANTENER EJ. 9	2 REP × 1" EJ. 3	1 REP × 2" EJ. 4	1 REP × 5" EJ. 5	MANTENER EJ. 6	MANTENER EJ. 9
	15-10-7	2 × 10	1 × 30''	1 × 1/2'	20-15-10	2 × 10	2 × 10	2 × 15''	1 × 1/2'

F
- 2 REP × 1'' EJ. 1
- 1 REP × 1'' EJ. 2
- MANTENER EJ. 8
- 2 REP × 1'' EJ. 7
- MANTENER EJ. 9
- 1 REP × 2'' EJ. 10
- MANTENER EJ. 9
- MANTENER EJ. 9
- PAUSA 1'

G
- 15-10-7
- 2 REP × 1'' EJ. 3
- 2 × 10
- 1 REP × 2'' EJ. 4
- 1 × 30'' EJ. 5
- 1 × 1/2' MANTENER EJ. 6
- 1 × 20'' EJ. 7
- 1 REP × 2'' EJ. 10
- 1 × 25 MANTENER EJ. 8
- 1 × 1/2' MANTENER EJ. 10
- 1 × 25 MANTENER EJ. 9
- 1 × 1/2'

H
- 20-15-10
- 2 REP × 1'' EJ. 7
- 2 × 10 MANTENER EJ. 8
- 2 × 10 EJ. 9
- 2 × 15'' MANTENER EJ. 6
- 1 REP × 1'' EJ. 9
- 2 × 20 1 REP × 5'' EJ. 5
- 2 × 15'' 1 REP × 1'' EJ. 5
- 2 × 10 30'' 2 REP × 1'' EJ. 3
- PAUSA 30'' 2 × 15'' 1 REP × 1'' EJ. 9
- MANTENER EJ. 9
- 20-15-10 20-15-10 1 REP × 5'' EJ. 5

I
- PAUSA 15''
- 15-10-7
- 2 REP × 1'' EJ. 1
- 2 × 20 2 REP × 1'' EJ. 2
- 1 × 30'' MANTENER EJ. 7
- 2 × 10 1 REP × 1'' EJ. 8
- 1 × 30'' 1 × 30'' EJ. 8
- 1 REP × 2'' EJ. 10
- 1 × 25 MANTENER EJ. 9
- 1 × 1/2' MANTENER EJ. 9
- 1 × 1/2' 1 × 1/2'
- 1 × 1/2' MANTENER EJ. 6
- 2 × 15''

6

Anatomía de la musculatura glútea

MÚSCULOS DE LA CADERA. VISIÓN DE CONJUNTO

Los músculos de la cadera se dividen en anteriores (psoasiliaco) y posteriores (glúteo mayor, glúteo medio, glúteo menor, piriforme, obturador interno, cuadrado del fémur y tensor de la fascia lata).

El músculo glúteo mayor con el tensor de la fascia lata forman el estrato superficial; este estrato recubre el músculo glúteo medio, el piriforme, el obturador interno y el cuadrado del fémur. El músculo glúteo medio recubre a su vez el músculo glúteo menor, que se encuentra por lo tanto justamente bajo el ala del hueso del íleo.

MÚSCULO GLÚTEO MAYOR

Origen
Porción posterior del ala iliaca, cara dorsal del hueso sacro, ligamento sacro tuberoso.

Inserción
Tuberosidad glútea, tramo iliotibial de la fascia lata.

Nervio
Enervado por el nervio glúteo inferior.

Función
Extensión del muslo; participa en los movimientos de abducción (con la parte superior) y en los de aducción (con la parte inferior), además de los de rotación externa. Las fibras que se insertan en el tramo iliotibial extienden la articulación de la rodilla. El músculo ayuda al tronco a mantenerse en posición erguida, funciona en la deambulación y al subir escaleras actúa sobre la articulación de la cadera y de la rodilla.

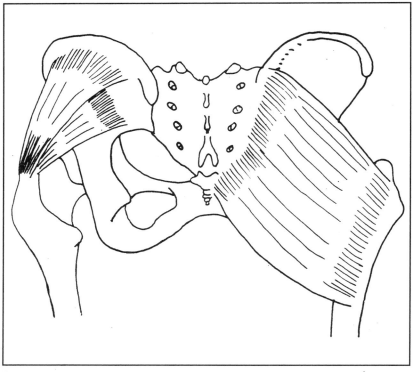

Fig. 19. Vista de conjunto de la musculatura glútea. A la izquierda los músculos glúteo medio y glúteo menor; a la derecha, el músculo glúteo mayor

MÚSCULO GLÚTEO MEDIO

Origen
Cara lateral del hueso del íleo.
Inserción
Superficie lateral del trocánter mayor.
Nervio
Enervado por el nervio glúteo superior.
Función
Abducción de los muslos, además rotación interna (porción anterior) y externa (porción posterior) de los mismos.

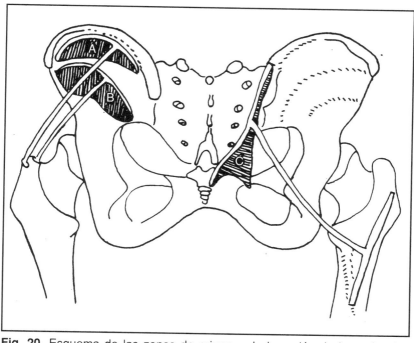

Fig. 20. Esquema de las zonas de origen y de inserción de los músculos glúteos:

(a) glúteo medio;
(b) glúteo menor;
(c) glúteo mayor.

MÚSCULO GLÚTEO MENOR

Origen
Cara lateral del hueso del íleo.
Inserción
Ápice del trocánter mayor.
Nervio
Enervado por el nervio glúteo superior.
Función
Abducción y rotación interna.

Apéndice

EJERCICIOS PARA LOS MUSLOS Y PARA FAVORECER EL FLUJO VENOSO Y LINFÁTICO

Esta sección del libro pretende ser un complemento del método, porque como ya se dijo, no es posible disociar la región glútea de la cadena motriz en la que está insertada. Considerando la gran eficacia de los ejercicios para los glúteos en la *prevención y terapia de la celulitis,* los ejercicios descritos aseguran la integralidad del método.

Los ejercicios para la tonificación de la musculatura de los muslos (ejercicios n°s 1-2) involucran también a la musculatura glútea; por lo tanto, para su mayor eficacia, es recomendable realizarlos después de la tabla de trabajo para los glúteos.

Los ejercicios para facilitar el flujo sanguíneo y para evitar el estancamiento de los líquidos subcutáneos (ejercicios n°s 3-4) son obligatorios para quienes han iniciado, paralelamente a la aplicación del método, una terapia para la curación y la eliminación de la celulitis.

Los últimos dos ejercicios descritos (ejercicios n°s 5-6) sirven para restablecer una adecuada tensión sobre las musculaturas. Recordemos que no se habla de músculos sólo para referirse a los órganos implicados en la locomoción, sino que también las arterias y las venas están provistas de músculos cuya elasticidad es de importancia fundamental para una circulación periférica correcta.

EJERCICIOS PARA AFINAR LOS MUSLOS

EJERCICIO Nº 1

Partir en posición erguida, situado delante de una silla o taburete, las piernas ligeramente separadas a la anchura de los hombros, las puntas de los pies ligeramente abiertas, manteniendo el tronco erguido, inspirar y flexionar las extremidades inferiores hasta apoyar los glúteos sobre la silla y después volver a levantarse espirando (fig. 21).

Este ejercicio se llama semisentadilla. El número de repeticiones que se pueden realizar varía según el estado de entrenamiento de cada persona. Las personas que llevan una vida sedentaria o carente de movimiento, pueden comenzar con 10 repeticiones y aumentar el número a medida que transcurren las semanas; en cambio, los que están entrenados pueden hacer las semisentadillas a discreción, pero naturalmente no menos de 30.

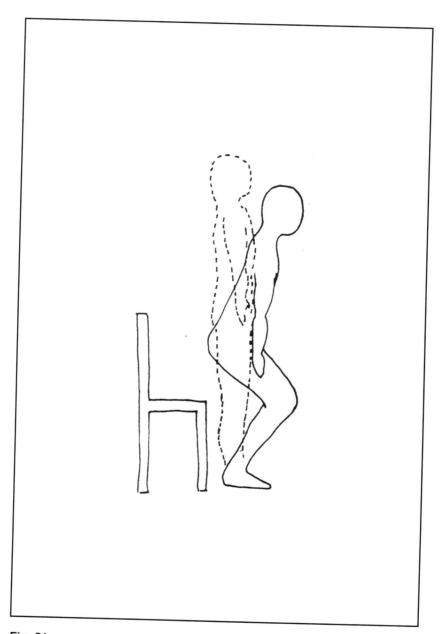

Fig. 21

EJERCICIO Nº 2

Este ejercicio se llama fondo porque simula el movimiento de un esgrimidor cuando intenta alcanzar con su estocada al adversario (fig. 22).

Partir de la posición erguida, inspirar y desequilibrarse hacia adelante, llevando el mismo tiempo un pie hacia adelante; el tronco permanece erguido. Flexionar las piernas hasta tocar el suelo con la rodilla de la pierna retrasada; espirar regresando a la posición inicial. Repetir inmediatamente el movimiento con la otra pierna.

Este ejercicio puede resultar fatigante sobre todo las primeras veces, con el consiguiente dolor de la musculatura; por esto se recomienda comenzar con un número limitado de repeticiones, de 10 a 15 por cada pierna, y aumentar gradualmente el número hasta un máximo de 30.

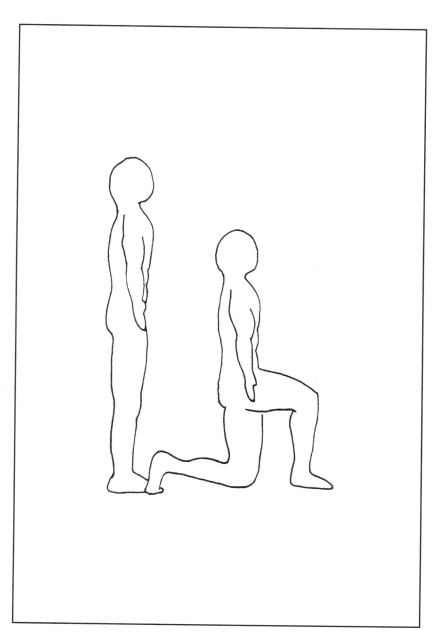

Fig. 22

EJERCICIOS PARA EL FLUJO VENOSO Y LINFÁTICO

EJERCICIO Nº 3

Partir en posición tendido supino, con los pies apoyados en una pared (fig. 23), levantar la pelvis haciendo fuerza sobre los talones hasta quedar con tronco, muslos y pierna bien alineados. Mantener la posición de 1' a 5'.

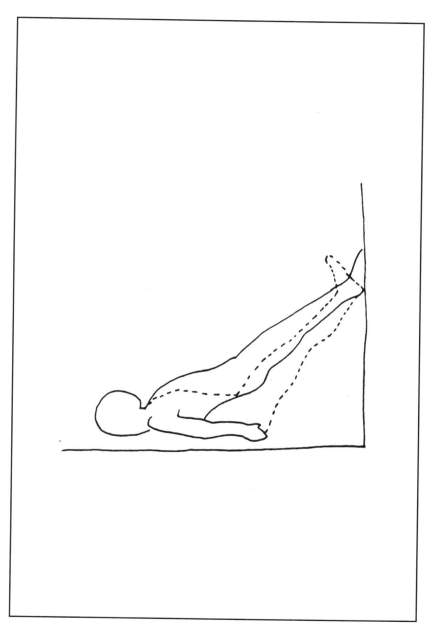

Fig. 23

EJERCICIO Nº 4

Este ejercicio es desaconsejable para quienes tienen problemas en la región cervical.

Partir en posición tendido supino, llevar las piernas hacia atrás y hacia arriba hasta alcanzar la alineación vertical entre tronco, pelvis, muslos y piernas (fig. 24). Las manos ayudan a mantener el equilibrio sosteniendo el tronco. Este ejercicio deriva del yoga y su nombre originario es *salamba sarvangasana*. En Occidente es más conocido como *la vela*.

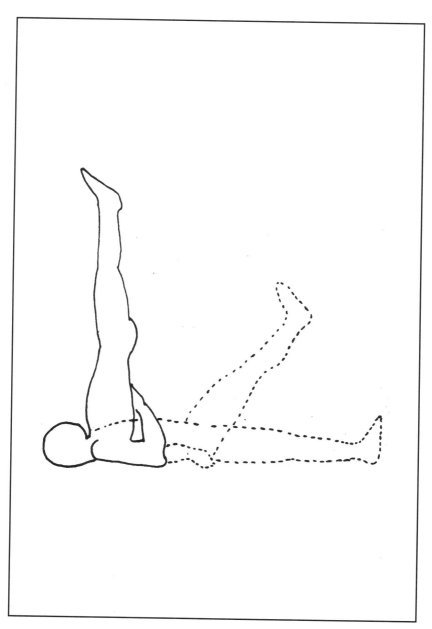

Fig. 24

EJERCICIOS PARA LA ELASTICIDAD DE LOS TEJIDOS

EJERCICIO Nº 5

Arrodillarse y después sentarse sobre los talones; el tronco permanece erguido y la respiración es normal (fig. 25). Mantener la posición durante un minuto, aproximadamente, y después llevar los talones al exterior de los glúteos, manteniendo la posición durante otro minuto, aproximadamente.

A medida que practica este ejercicio adquirirá la capacidad de permanecer más tiempo en esta posición y podrá prolongar la duración del ejercicio.

Fig. 25

EJERCICIO Nº 6

En posición erguida, apóyese en una pared para controlar mejor su equilibrio; cójase un tobillo y trate de aproximar el talón al glúteo. La respiración es espontánea y tiene que permanecer regular (fig. 26).

Mantener la posición al menos durante 20 segundos y después cambiar de pierna. Conviene repetir este ejercicio al menos 4-5 veces por cada pierna.

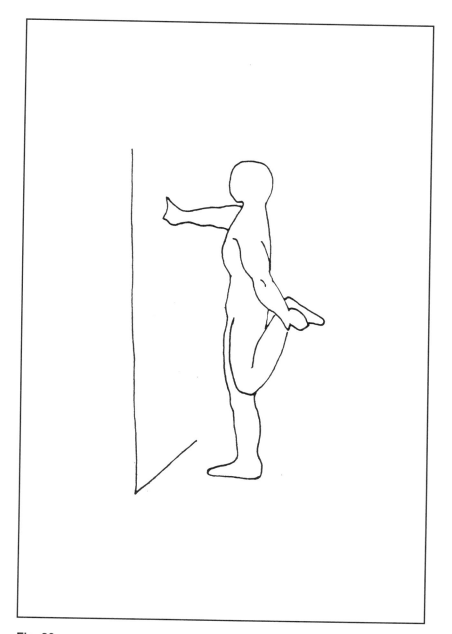

Fig. 26

Ejercicios para los glúteos.
Hombres

DIFERENCIAS ESTRUCTURALES CON LA MUJER

Como es bien sabido, desde el punto de vista anatómico la musculatura femenina y la masculina no tienen ninguna diferencia entre sí: lo que es diferente es el aparato esquelético. La presencia de mayor cantidad de grasas de depósito en la mujer, y una mayor amplitud de la pelvis confieren a la región glútea femenina su morfología característica.

Esta premisa es necesaria, especialmente si se piensa que de todos modos existe una diferencia, y como podría parecer importante desde el punto de vista funcional, conviene aclarar su origen.

En general una excesiva presencia de grasa significa que la zona considerada tiene muy limitado el movimiento. Por lo tanto, sin hacer deducciones absolutas, sino dando una interpretación sólo orientativa, puede decirse que la región glútea femenina además de ser una región diferente desde el punto de vista anatómico-esquelético (de hecho, la pelvis de la mujer es normalmente más ancha que la pelvis masculina) es también una zona «preferida» como depósito de grasa, y como las grasas en general se acumulan de manera creciente se puede pensar que dicha zona en las mujeres «carece de movimiento».

Evidentemente, para la región glútea masculina no son válidas las motivaciones de la femenina; en efecto, la pelvis más estrecha evidencia de inmediato la diferencia. A la característica ya mencionada hay que agregar que la región glútea no suele ser, para los hombres, una zona privilegiada como depósito de grasa, y por lo tanto en general la morfología masculina de la región glútea, si presenta carencia de movimiento, lo hace con un tono muscular débil y un volumen muscular efectivamente reducido. Evidentemente, también en los hombres la región glútea puede ser sede de depósito de grasas, pero el modo de distribución de las mismas es diferente si se la compara con la región glútea femenina.

Por lo tanto, una región glútea masculina difícilmente alcanzará la morfología de la femenina.

Si se ha dicho que desde el punto de vista estético no se puede hacer un paralelismo entre ambas regiones corporales, sino que por el contrario, hay que destacar sus diferencias, ahora es necesario tener en cuenta que la región glútea masculina considerada en su normalidad tanto morfológica como de tono muscular, puede o debe ser estimulada por los ejercicios específicos.

El principio fundamental de no desligar la musculatura glútea de su cadena motriz es válido también para los hombres. En efecto, un individuo, que aun manteniéndose delgado no hace ejercicio, ha de tener en cuenta la cadena motriz de los músculos antigravitatorios y por lo tanto deberá considerar válidos todos los ejercicios y prácticas aeróbicas sugeridas en los capítulos precedentes (caminar o correr en subida, pedalear, subir escaleras...) si quiere alcanzar un estado de forma ideal.

Desde el punto de vista funcional, para el sistema motor masculino esas sugerencias son más que suficientes, pero en mi experiencia de instructor he constatado que la musculatura masculina puede ser estimulada, además de con ejercicios con carga natural (es decir, con el propio cuerpo), realizando también ejercicios con sobrecargas cuyas intensidades son decididamente superiores a las que se pueden proponer a una mujer, y obtener así resultados más rápidos y duraderos.

Por lo tanto la diferencia en el sistema de trabajo entre hombres y mujeres está en la entrenabilidad de la musculatura y al mismo tiempo en la capacidad de soportar cargas diferentes. Esto también por motivos relacionados no precisamente con la morfología de la musculatura glútea, sino con la cadena motriz en la cual está insertada.

Las tablas de trabajo de toda la parte sistemática dedicada a las mujeres podrán ser realizadas también por los hombres, como ya se dijo anteriormente. Toda la parte aeróbica podrá desarrollarse, evidentemente, con ritmos y velocidades que se adecuarán a las capacidades y a las posibilidades de cada uno.

La elección de los ejercicios específicos y relativos a la cadena muscular glútea tiene como finalidad primordial un ligero potenciamiento.

El aumento de la carga de trabajo para los hombres, a diferencia de las mujeres, implica necesariamente una serie de riesgos para los varones, el primero de todos la posibilidad de tendinitis. Al pedir a una cadena muscular que se contraiga con fuerza y rapidez, aprovechará al máximo las posibilidades elásticas de los órganos de transmisión del movimiento, justamente los tendones, con fuerte probabilidad de que se vean afectados. Para evitar este tipo de inconvenientes será necesario hacer ejercicios que se definen como de calentamiento, es decir, ejercicios que preparan fundas, membranas y componentes tendinosos de la musculatura, que habrá que entrenar y que al mismo tiempo estimulan la musculatura para una contracción de intensidad progresiva.

EJERCICIOS DE CALENTAMIENTO

EJERCICIO Nº 1

Partir en posición erguida, con los brazos extendidos hacia adelante y las manos apoyadas en una pared, los pies juntos; llevar un pie hacia atrás, manteniendo la planta apoyada en el suelo, hasta sentir una tensión a nivel de los gemelos; en esa posición intentar empujar el talón contra el suelo. Mantener la posición al menos durante 20 seg y después cambiar de pierna repitiendo el ejercicio.

Realizar el ejercicio al menos cinco veces con cada pierna (fig. 27).

EJERCICIO Nº 2

Partir en posición erguida, y apoyarse con la espalda contra una pared; en esta posición hacer una lenta y progresiva flexión del tronco hacia adelante, hasta alcanzar el máximo cierre del ángulo formado por tronco y muslos. Mantener la posición al menos durante 20 seg y volver lentamente a la posición erguida.

Hacer el ejercicio al menos tres veces (fig. 28).

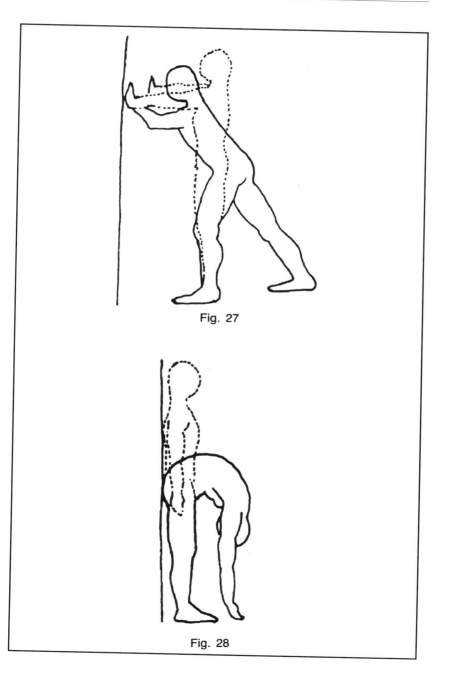

Fig. 27

Fig. 28

EJERCICIO Nº 3

En posición erguida, con los pies ligeramente separados, desequilibrarse hacia adelante y alcanzar la posición de fondo máxima. Mantener la posición al menos durante 20 seg y después cambiar de pierna repitiendo el ejercicio.

Realizar el ejercicio al menos tres veces con cada pierna (fig. 29).

Fig. 29

EJERCICIO Nº 4

En posición erguida, con las piernas separadas, buscar lentamente la máxima separación alejando gradualmente los pies entre sí; una vez alcanzada la separación máxima apoyar las manos en el suelo y mantener esa posición al menos durante 20 seg. Apoyándose en las manos juntar las piernas y repetir el ejercicios al menos tres veces (fig. 30).

EJERCICIO Nº 5

Correr al menos tres minutos en el mismo lugar (fig. 31).

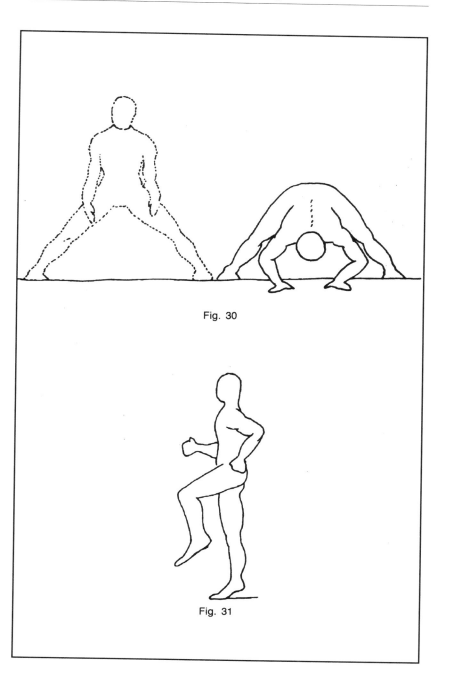

Fig. 30

Fig. 31

EJERCICIOS PARA POTENCIAR LA REGIÓN GLÚTEA

CÓMO AUMENTAR LA CARGA DE TRABAJO

Estos ejercicios, realizados individualmente y sin ayuda de sobrecargas, perderán rápidamente su poder de entrenamiento si se sigue una práctica constante, porque la práctica regular de los mismos ejercicios, siempre en las mismas condiciones de trabajo, conduce al acostumbramiento del músculo a esos esfuerzos; en otras palabras, se deja de desarrollar la fuerza.

Por lo tanto, para poder obtener un desarrollo continuo de esta cualidad muscular, será necesario, después de algún tiempo de practicar estos ejercicios, modificar la manera de realizarlos para proporcionar estímulos nuevos y de mayor intensidad.

En consecuencia, para que los ejercicios recuperen el estímulo de entrenamiento, conviene:

— aumentar el ritmo de ejecución de los ejercicios,
— aumentar el número de repeticiones,
— adoptar ambos aumentos simultáneamente.

EJERCICIO Nº 1

Este ejercicio se conoce como sentadillas.

Partiendo en posición erguida, con las piernas y las puntas de los pies ligeramente separadas, inspirar y flexionar las rodillas hasta acercar los glúteos a los talones; volver a levantarse espirando. Hay que realizar el movimiento lentamente y a velocidad constante, sin aprovechar la capacidad elástica de los tendones de las rodillas. La posición de los talones, levantados o apoyados sobre el suelo, no tiene importancia con relación a la eficacia del ejercicio. Repetir al menos 15-20 veces (fig. 32).

EJERCICIO Nº 2

Este ejercicio se llama fondo lateral.

Partiendo de la posición erguida, con las piernas bien separadas y las puntas de los pies ligeramente abiertas, inspirar y flexionar una rodilla hasta alcanzar el talón con el glúteo, y espirando, levantarse lentamente. Hay que realizar el movimien-

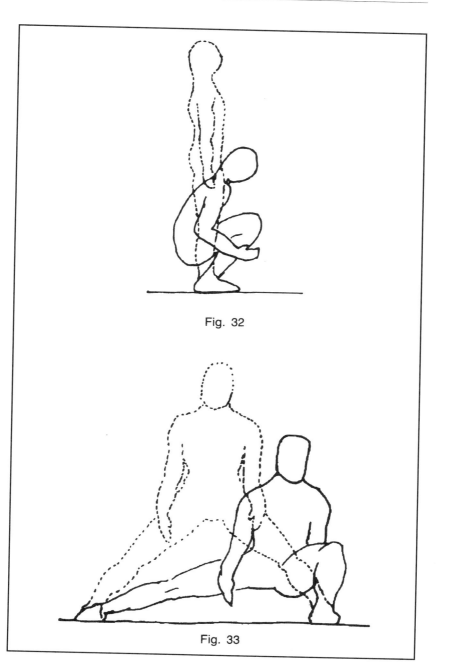

Fig. 32

Fig. 33

to lentamente y a velocidad constante. Hacer el ejercicio alternadamente una vez con cada pierna hasta un total de 20 repeticiones (fig. 33).

EJERCICIO Nº 3

Apoyarse con la espalda contra una pared y manteniendo el tronco en contacto con ésta.. colocarse con los muslos y las piernas a 90°, como si se estuviera sentado en una silla imaginaria; la respiración es espontánea. Mantener la posición al menos durante 30 segundos o 1 minuto (fig. 34).

EJERCICIO Nº 4

Partiendo de la posición erguida, mantenerse en un apoyo lateral (por ejemplo una silla); inspirar lentamente mientras se flexiona una pierna y se eleva la otra hacia adelante de modo que no intervenga en el movimiento; espirar y continuar la flexión hasta alcanzar los talones con los glúteos, y después regresar a la posición inicial (erguida). Repetir el movimiento al menos 5-10 veces alternando las piernas (fig. 35).

EJERCICIO Nº 5

Este ejercicio se llama «step».
Ponerse frente a un desnivel de al menos 40 cm (una silla robusta, un taburete, una tarima...). Apoyar un pie sobre el desnivel, inspirar y mientras se espira subir al desnivel hasta apoyar el otro pie. Después bajar con el primer pie y finalmente bajar el otro pie. Repetir el movimiento al menos 30-40 veces por cada pierna (fig. 36).

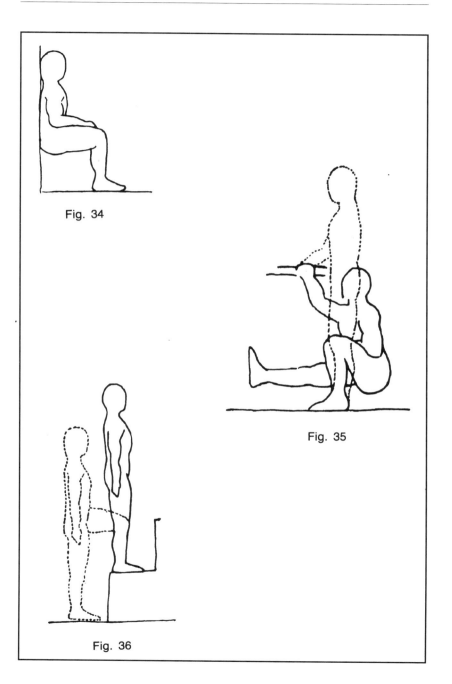

Fig. 34

Fig. 35

Fig. 36